CW00385185

www.casterman.com

ISBN 978-2-203-15414-8

ZOÉ et THÉO

prennent le train

Catherine Metzmeyer & Marc Vanenis

casterman

Maman, Zoé et Théo prennent le train.
La gare est pleine de monde.

Une dame demande un renseignement à maman.

— Elle ne parle pas comme nous, déclare Zoé.
— Elle a le même sac que nous, remarque Théo.

Voilà le train!

— Vite, recherchons nos places.

— Ouf, nous y sommes, dit maman.
Théo, fatigué, réclame sa peluche préférée.

— Mais ce n'est pas mon sac ! s'écrie maman catastrophée.

Théo se met à pleurer.
— C'est peut-être la dame de tout à l'heure.
Elle a pris le même train que nous.

– Ne t'en fais pas, mon bonhomme, lui dit le contrôleur, viens avec moi, nous allons le retrouver, ton nounours !

Et les voilà partis à la recherche de la fameuse dame.
Quelle aventure! Théo joue au détective.

Il regarde chaque voyageur. Le train est long, long.

— C'est elle, c'est elle ! crie Théo.

— C'est lui, c'est lui !

Quelques mots d'explication, tout le monde se retrouve pour échanger les bagages.

Et tout heureux, Théo s'endort.

Imprimé en Italie.
Dépôt légal février 2001 ; D2001/0053/113
Déposé au ministère de la Justice, Paris
(loi n° 49.956 du 16 juillet 1949 sur les publications destinées à la jeunesse).